L'évaluation

Lundi matin était arrivé. Même si la semaine d'école ne faisait que commencer, Justine était déjà épuisée. C'est que Justine avait passé toute la fin de semaine à se préparer pour une évaluation en mathématiques. Justine était nerveuse, elle n'aimait pas beaucoup les évaluations. Elle était pourtant douée à l'école, mais elle avait malgré tout toujours peur d'échouer. Goro, son monstre intelligent, l'aidait toujours à étudier. Si seulement Goro pouvait faire les évaluations à sa place...

Justine était assise dans l'autobus scolaire à côté de Coralie. Son amie avait, elle aussi, la mine basse.

« Je ne suis pas prête pour l'évaluation, a dit Coralie à Justine. J'ai essayé de bien me préparer, mais je n'ai pas réussi à faire les exercices de révision que nous a donnés madame Joannie. »

Justine n'aimait pas voir son amie dans un piteux état. Les mathématiques donnaient beaucoup de fil à retordre à Coralie. Celle-ci avait souvent de la difficulté en mathématiques. Elle posait fréquemment des questions en classe et elle rencontrait même l'orthopédagogue de l'école, madame Patricia. Pauvre elle ! Si au moins elle avait un monstre comme Goro pour l'aider à étudier !

2+2 =4
+ – x

Justine a alors décidé d'aider Coralie à étudier durant le trajet en autobus. Coralie était contente d'avoir de l'aide. Ses parents n'étaient malheureusement pas toujours là pour l'épauler puisqu'ils travaillaient souvent le soir. Coralie se faisait donc régulièrement garder, mais sa gardienne Myriam n'était pas en mesure de l'aider. En fait, Myriam comprenait bien les mathématiques, mais elle n'arrivait pas à expliquer les notions à Coralie.

C'était à présent l'heure de l'évaluation. C'était la dernière évaluation de l'étape. Justine et Coralie étaient bien contentes, car il n'y en aurait pas d'autres avant quelques semaines. Quand tous les élèves ont eu terminé l'évaluation, madame Joannie a fait une annonce:

« La direction de l'école a décidé que chaque classe doit dorénavant avoir un ou une présidente de classe. Pour participer, chaque candidat devra faire un discours devant ses camarades. Puis, chaque classe devra voter pour élire un des candidats. »

L'élection

Justine était intriguée. Elle aimerait bien devenir présidente de sa classe. À la fin de la journée, elle est allée voir madame Joannie pour inscrire son nom sur la liste des candidats à la présidence. À sa grande surprise, il n'y avait que deux noms sur la liste: le sien et celui d'Alexis, le garçon le plus populaire de la classe. Lorsque Justine a vu le nom d'Alexis, elle a pensé à se retirer immédiatement de la course. Elle pensait n'avoir aucune chance de gagner contre Alexis. Mais son enseignante a insisté pour qu'elle soit candidate à la présidence de classe.

Après l'école, Coralie a proposé d'aider Justine à son tour. Elle savait que Justine n'aimait pas beaucoup les exposés. Justine et Coralie se sont donc assises ensemble dans le salon de Justine pour écrire un discours. Les deux filles gribouillaient des notes, chiffonnaient des feuilles, recommençaient encore et encore. Elles avaient bien du mal à trouver les mots justes pour exprimer les idées de Justine. Lorsque l'heure du souper est arrivée, Coralie a dû retourner chez elle. Justine a remercié son amie :

« Merci de ton aide, Coralie. Je réessaierai demain matin. »

Avant de s'endormir, Justine a expliqué son problème à ses amis Farfel, Goro et Loupa. Elle leur a dit tout ce qu'elle aimerait dire dans son discours, mais qu'elle n'arrivait pas à écrire. Farfel a essayé de rassurer Justine, mais sans résultat. Justine était trop angoissée. Elle en avait même mal au ventre.

Cette nuit-là, Justine a fait un cauchemar. Elle a rêvé qu'elle était très anxieuse au moment de prononcer son discours. Elle était demeurée complètement muette devant la classe. Et, bien entendu, Alexis avait fini par être élu président de la classe. Pauvre Justine ! Elle était si angoissée.

Le lendemain, Justine s'est fait réveiller par un bruit étrange. C'était Goro qui écrivait, assis au pupitre de Justine. Il paraissait très concentré. Le monstre était en train de rédiger un discours pour Justine. Après s'être étirée, Justine s'est levée tranquillement. Elle est allée lire le discours préparé par Goro. Justine était impressionnée. Goro avait trouvé les mots justes pour écrire toutes ses idées. Le discours était tout simplement parfait ! Décidément, une chance que Goro était là pour elle ! Justine s'est empressée de serrer son ami contre elle.

Puis, c'était l'heure du déjeuner. Justine a grignoté une rôtie tartinée de beurre d'arachide et quelques quartiers de pomme. Avec l'aide de sa maman, elle a récité son discours plusieurs fois. Sa mère lui a rappelé quelques stratégies pour être moins angoissée. Elle lui a rappelé de prendre une grande inspiration avant de commencer son discours. Justine se sentait plus en confiance. Elle s'est remémorée la fois où sa mère l'avait aidée à préparer son exposé oral.

Les discours

En arrivant à l'école, Justine a montré son discours à Coralie. Son amie l'a trouvé fantastique! Justine lui a expliqué qu'elle avait eu de l'aide, mais elle n'a pas spécifié que c'était Goro qui l'avait aidée. Après tout, elle devait garder le secret. Seul Antoine savait que Justine avait des jouets qui prenaient vie. Pendant ce temps, Alexis était debout, dans un coin de la cour de récréation. Plusieurs amis de la classe étaient attroupés autour de lui, assis par terre. Alexis semblait tester son discours. Ses amis riaient et applaudissaient à tout rompre. Justine se demandait si son discours suffirait à la faire élire.

Le grand moment était enfin venu. Alexis allait parler le premier. Il s'est levé et s'est dirigé à l'avant de la classe pour prononcer son discours. Alexis était très confiant. Il semblait convaincu qu'il serait élu président de la classe. Alexis a livré un discours sans faute. Il avait les mots justes et il a même réussi à faire rire le groupe. Lorsqu'il a eu fini, presque tous les élèves se sont levés et ont scandé son nom. Justine avait le gout de laisser tomber. Coralie lui a alors donné une petite tape dans le dos pour l'encourager. Justine est allée devant la classe et a prononcé le discours préparé par son monstre. Son discours était impeccable. Justine était vraiment concentrée sur son texte. Elle n'a même pas remarqué que tous l'écoutaient attentivement. Une fois son discours terminé, Justine est retournée s'assoir timidement.

Madame Joannie a alors demandé aux élèves de la classe s'ils voulaient dire un mot avant de passer au vote. À la surprise de tous, Coralie s'est levée et a expliqué pourquoi Justine était une amie formidable. Elle a raconté comment Justine l'avait aidée à se faire des amis. Elle a aussi dit que Justine l'avait aidée à se préparer pour l'évaluation de mathématiques. Son témoignage était très touchant. Après cela, l'enseignante a distribué les bulletins de vote. Chaque élève a coché le candidat de son choix.

Le dévoilement

Madame Joannie a compilé les votes.

« Le président ou la présidente de classe est... Justine ! » a annoncé l'enseignante.

Justine était très émue. La classe applaudissait et scandait « un discours, un discours, un discours ».

Justine ne savait pas quoi dire. Cette fois-ci, Goro ne pouvait pas la sauver. En regardant Coralie, elle a vite eu une idée.

« Merci à tous. En tant que présidente de classe, ma première action sera de nommer Coralie comme vice-présidente ! Merci, Coralie, pour ton aide. »